ISBN 2-215-08371-9
© GROUPE FLEURUS, 2005.
Dépôt légal à la date de parution.
Conforme à la loi n ° 49-956 du 16 juillet 1949
sur les publications destinées à la jeunesse.
Imprimé en Italie. (04/05)

Zoé et le courage

Conception :
Jacques Beaumont
Texte :
Fabienne Blanchut
Images :
Camille Dubois

EDITIONS
FLEURUS

GROUPE FLEURUS. 15-27, rue Moussorgski, 75018 PARIS
www.editionsfleurus.com

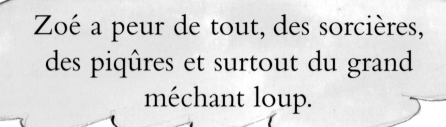

Zoé a peur de tout, des sorcières, des piqûres et surtout du grand méchant loup.

Mais quand elle devient une petite Princesse Parfaite, Zoé n'a plus peur de rien. Ni du noir, ni de l'orage, ni de son gros chien Galopin.

Chez le docteur, en
voyant le stéthoscope
qui dépasse de sa trousse,
Zoé a la frousse !

Mais parfois Zoé
est une Princesse
Parfaite ! Elle se laisse
ausculter sans bouger.

Zoé a trop peur du sang.
Dès qu'elle a un bobo,
elle réclame un pansement
en pleurant !

Mais parfois Zoé est une
Princesse Parfaite !
Si elle tombe,
elle se relève
sans pleurer et
va voir Maman
pour se faire
soigner.

En balade en forêt, si Zoé est fatiguée, elle ne fait plus un pas. Elle réclame les bras de Papa !

Mais parfois
Zoé est une
Princesse Parfaite !
Même fatiguée,
elle continue
d'avancer.

En vacances à la ferme, Zoé reste dans son coin. Elle a même peur des poussins !

Mais parfois Zoé est une Princesse Parfaite !
Elle monte sans hésitation sur Canasson.

À la piscine, Zoé, malgré toutes ses bouées, a grand peur de se noyer.

Mais parfois Zoé est
une Princesse Parfaite !
Elle n'a pas peur
de l'eau et plonge
dès qu'elle est
en maillot.

L'été, Zoé a horreur
du centre aéré.
Quitter Maman
une journée, pas
la peine d'y penser !

Mais parfois Zoé
est une Princesse
Parfaite ! Elle ne
se fait pas prier.
Le centre aéré, les
« monos », les copains,
c'est extra bien !

Zoé déteste les insectes.
Elle s'enfuit en criant
« oh là là ! » dès qu'une
mouche se pose
sur son bras.

Mais parfois Zoé est
une Princesse Parfaite !
Elle compte sans
trembler toutes
les pattes
de l'araignée.

Au square, Zoé a très
peur de dégringoler.
Elle préfère jouer
avec sa poupée.

Mais parfois Zoé est une Princesse Parfaite ! Debout sur la balançoire, c'est la reine du square.

Mais pour son frère Adam, Zoé
est toujours une Princesse
Parfaite. S'il a peur du noir,
elle lui raconte une histoire.
Et Adam applaudit quand
elle chasse les monstres gris
cachés sous le lit.